LE LOUP

D0993142

Texte : Michel Quintin
Illustrations : Michel Villeneuve

ÉDITIONS
MICHEL
QUINTIN

Le loup vit en meute avec, à la tête du groupe,
un mâle et une femelle dominants.

Les hurlements servent à rassembler la meute et à tenir les autres bandes éloignées.

Le loup se nourrit surtout de gros
mammifères herbivores.

6

C'est en meute qu'il chasse le gros gibier.

Grâce à son odorat très développé, ce canidé peut flairer un orignal de loin.

En période de reproduction, la femelle habite dans une tanière.

Après deux mois de gestation, la louve aura environ
six petits.

Durant les semaines qui suivent la mise bas, la louve ne
quitte pas ses petits. Elle est alors nourrie par la meute.

C'est à la queue leu leu que les loups parcourent
leur territoire.

Dans les régions nordiques, le loup est tout blanc.
Ailleurs, il peut être brun, noir ou gris.

Dans la nature, il peut vivre dix ans et deux fois plus longtemps en captivité.

Catalogage avant publication de Bibliothèque et Archives Canada

Quintin, Michel

   Le loup

   (Mini-faune)

   Publ. à l'origine dans la coll.: Ciné-faune.

   Pour enfants de 3 ans et plus.

   ISBN 2-89435-296-4

1. Loup - Moeurs et comportement - Ouvrages pour la jeunesse. I. Villeneuve,
Michel, 1956-   . II. Titre. III. Collection.

QL737.C22Q84 2005   j599.773'15   C2005-941420-0

Le Conseil des Arts du Canada
The Canada Council for the Arts

SODEC
Québec ⚜⚜

Patrimoine   Canadian
canadien   Heritage

La publication de cet ouvrage a été réalisée grâce au soutien financier de la
SODEC et du Conseil des Arts du Canada. De plus, les Éditions Michel Quintin
bénéficient de l'aide financière du gouvernement du Canada par l'entremise
du Programme d'aide au développement de l'industrie de l'édition (PADIÉ)
pour leurs activités d'édition.

Gouvernement du Québec – Programme de crédit d'impôt pour l'édition
de livres – Gestion SODEC

Tous droits de traduction et d'adaptation réservés pour tous les pays.
Toute reproduction d'un extrait quelconque de ce livre, par procédé mécanique
ou électronique, y compris la microreproduction, est strictement interdite
sans l'autorisation écrite de l'éditeur.

Texte adapté du texte original.
Révision linguistique : Rachel Fontaine

Dépôt légal - Bibliothèque nationale du Québec, 2005
Dépôt légal - Bibliothèque nationale du Canada, 2005

©2005 Éditions Michel Quintin
C.P. 340, Waterloo (Québec)
Canada   J0E 2N0
Tél. : (450) 539-3774
Téléc. : (450) 539-4905
Site Internet : www.editionsmichelquintin.ca

Imprimé au Canada
ISBN 2-89435-296-4   0 5 K 2 1